Bazylika św. Jacka

RELIGIA I PRZESTRZEŃ

Basilica of St. Hyacinth

INSIDE RELIGION

ZDJĘCIA PHOTOGRAPHY KLARA & ROBERT ŚWIDERSKI

Ex libris

Wprowadzenie

Wszystkie projekty przywrócenia kościołowi św. Jacka artystycznej świetności realizowano pod przewodnictwem ks. Michała Osucha, C. R., proboszcza milenijnego. Dzięki jego zaangażowaniu i przedsiębiorczości sprostano wyzwaniu, jakim jest nadanie kościołowi tytułu bazyliki.

Świątynie, które Ojciec Święty podnosi do godności Bazyliki Mniejszej (Basilica Minor), są powierzane Bogu w specjalnej ceremonii liturgicznej i muszą promieniować jako ośrodek duchowy i duszpasterski, zwłaszcza poprzez celebrowanie Najświętszej Eucharystii, sakramentu pokuty oraz innych sakramentów. Staranność tej celebracji, jej zgodność z normami liturgicznymi, aktywny udział w niej ludu Bożego - powinny stanowić wzór dla innych. Pod uwagę są brane także dziejowa rola oraz reprezentacyjność świątyni. W ten sposób bazylika staje się miejscem o szczególnej randze duchowej i historycznej.

Niechaj nasze związki z Ojcem Świętym, z naszym arcybiskupem i z całym ludem Bożym stają się coraz silniejsze i bardziej świadome. Tak dążymy do zjednoczenia wszystkich ludzi niezależnie od języka, rasy czy trybu życia. Niechaj status bazyliki pomoże nam z wiarą, szczerością i zapałem przyjąć Chrystusa we wszystkich dziedzinach naszego życia. Szczególnie powierzamy Mu nasze domy, miejsca nauki i pracy - a także nasze relacje z tymi, których spotykamy na swej drodze: z głodnymi, spragnionymi, bezdomnymi, zrozpaczonymi i niekochanymi. Niechaj ta Bazylika inspiruje nas do głoszenia z mocą Dobrej Nowiny - niech Duch Boży przepełnia nas tak, że nikt nie zwątpi, z Czyjego natchnienia przemawiamy! Niech naszym sercom nie będzie obca troska i wybaczenie, niech starają się poruszyć i uleczyć miliony dusz, które pragną nawrócenia i uzdrowienia.

Należy oddać sprawiedliwość mieszkańcom i przyjaciołom parafii św. Jacka, którzy nigdy nie szczędzili wysiłku, by ich świątynia stawała się coraz piękniejsza. Tak niewątpliwie manifestowała się ich wiara. Tak było na początku, gdy fundowano ten wspaniały kościół; tak było przez 84 lata trwania przybytku. Takie jest także świadectwo wiary obecnej wspólnoty, która wyraża swą miłość do Boga poprzez dbałość o dom Boży.

Mimo trwającego remontu i związanych z nim wielkich nakładów finansowych, ks. Michał Osuch, C. R, obecny proboszcz, wciąż zachęcał do podejmowania nowych trudów. Jego zapał podnosił na duchu, zaś jego przywództwo jednoczyło ludzi w organizowaniu dalszych prac renowacyjnych.

Projekt przyniósł owoce nie tylko materialne (piękno świątyni), ale także duchowe - głębszą modlitwę i uwielbienie chwały Boga.

Dla upamiętnienia tych, którzy zaangażowali się w to przedsięwzięcie, i ich gotowości połączenia sił w odpowiedzi na łaskę Bożą, powstała książka, którą przygotowali ks. Francis S. Rog, C. R. (tekst angielski) i ks. Jerzy C. Matuszak, C. R. (tekst polski).

Wreszcie ks. Osuch wezwał entuzjastów fotografii, by - jak poeci - dotarli do sedna ludzkich pragnień, uświadamiając szczęście, które płynie z prawdy, z radości, ze sprawiedliwości, z życia wiecznego i tak łatwo przyciąga do Chrystusa. Fotografik czyni to bez słów, a o jego emocjonalnym zaangażowaniu świadczy bardzo osobisty dramat, który odbija się w tworzonych obrazach.

Fotograficzne wizje murów, okien i artefaktów, tak często oglądanych przez tych, którzy przebywają w Bazylice, unaoczniają Boskie przesłanie miłości, obecne także w artystycznym hołdzie, stworzonym na tych stronach. To ono zmusza nas do ponownego spojrzenia.

Niechaj te strony poruszą Wasze serca, abyście doświadczyli Boskiego dotknięcia tak, jak doświadczył go fotografik. Niechaj ta książka stanie się odpowiedzią na Wasze palące potrzeby, niech przyniesie Wam pokój i wytchnienie. Niechaj umożliwi Wam spotkanie z Chrystusem i w ten sposób - przeobrazi Was. A kiedy już odwrócicie ostatnią kartę i powrócicie do „normalnego" życia - z jego chaosem i nieszczęściami, do społeczeństwa i jego problemów, do stawianych Wam wymagań, stresu i powszedniego rozdarcia - niechaj te obrazy zostaną w Was i budują w Was POKÓJ Chrystusowy. Niech skłaniają Was nie tylko do życia jako takiego, niech inspirują Was do życia w MIŁOŚCI.

Co pozostaje?

W obrębie środkowego (głównego) wejścia do Bazyliki zamontowano właśnie kompozycję historyczną z brązu. Kolejne, także brązowe drzwi frontowe mają być ukończone w ciągu następnych trzech lub czterech miesięcy. O tym będzie jeszcze okazja opowiedzieć w innej publikacji.

Ostatnim elementem, który najprawdopodobniej w kwietniu 2006 roku uwieńczy prace nad zewnętrznym wystrojem kościoła, będzie brązowa statua Jana Pawła II - Papieża, Który Zmienił Świat!

ks. Michał Osuch, C. R.

proboszcz

INTRODUCTION

UNDER THE LEADERSHIP of the millennium pastor, Rev. Michał Osuch, C. R., each project of restoration of the artistic beauty of the St. Hyacinth Church was realized. With his enthusiasm and industry the challenges of renaming the church as a Basilica were achieved.

Churches that have been given the title of MINOR BASILICA by the Holy Father are those dedicated to God by a liturgical rite and must stand out as a center of active and pastoral liturgy, especially through celebrations of the Most Holy Eucharist, of penance, and of the other sacraments, which set an example for others on account of their preparation and realization according to liturgical norms and with the active participation of the people of God.

The historical value or importance of the church and the worthiness of its are also considered. Thus the basilica is a place of spiritual and historic importance.

May we have a stronger and more conscious communion with the Holy Father, with our archbishop and a communion with God's people. In this manner we reach toward a unity of all people, of all languages, races and ways of life.

May the Basilica status inspire us to put Christ firmly and with conviction and sincerity into every part of our lives, especially where we left him out - our homes, the places of work or school and in the relationships with others that we meet in life - the hungry, thirsty, homeless, hopeless, and unloved.

May this Basilica inspire us to enact the Gospel with gracefulness - that we be filled with His Spirit so it is evident in what we say and do! let our hearts be so as to forgive, care, reach out and seek to heal the million souls yearning to be touched and healed.

On my rightfully say that the parishioners and friends of St. Hyacinth Parish always extended their greatest desire and effort to maintain the beauty of their church. This, of course, was the realization of their faith. So it has been in the beginning in the erection of this splendid church and so it was throughout the 84 years of the existence of this building of worship. So it is the witness of the faith of the present community, who express their love of God through the repainting and refurbishing of the 'house of God'.

In spite of this renewal and its great financial undertaking, the Rev. Michał Osuch, C. R., the present pastor, promoted the concern for the beauty of the church. His fervor spearheaded the faithful and his leadership united the people to the organization of perseverance of their magnaminous response. Obviously the fruition of this project is not only the beauty of the work but that is enhances the faithful to prayer and admiration of the grace and praise of God.

So the English/Polish text of the book prepared by Revs. Francis S. Rog, C. R., and Jerzy C. Matuszak, C. R., has been a memorial for all who contributed - in the past and the present - to supporting this undertaking and their readiness to unite in response to His grace.

To further this end, Fr. Osuch called upon the aficionados of photography to capture as the poet gives a glimpse into the heart of man's desires, realizing the pleasure in truth, in joy, in justice, in everlasting life and so readily to be drawn to Christ. The photographer does this without speaking a word and readily one can find his emotional involvement in the intimate drama which is unfolded in his pictorial works.

This photographic account of walls, windows and artifacts, which we regularly see as we spend some time within the Basilica present the divine message of love, accentuated and ensouled in the homage of the artistry produced in these pages. It forces us to look again.

May these pages touch your heart and experience a touch of the divine as it touched the photographer.

May this book respond to your need at this hour. May it grant you peace and rest. May it enkindle the encounter with Christ and so transform you. As you turn from one page to another and put this book down to return the the 'everyday' life of distractions, disasters, to a society and its problems, to the demands, stresses and struggles of life, may the images create the PEACE of Jesus within you. May you be inspired through the various photos to not only simply live, but to live with LOVE.

What remains?

The center (main) doors of the Basilica have already been replaced with a bronze historical representation. The other front doors - to either side of the main doors - also of bronze should be ready within the next three or four months. The figures and history as presented upon these doors will be offered in another brochure.

A final addition to be ready in April at the exterior of the Basilica - will be a bronze representation of John Paul II - the Pope Who Changed the World!

REV. MICHAŁ OSUCH, C. R.

PASTOR

Janowi Pawłowi II
Papieżowi, który zmienił świat

Nikt nie przypuszczał, że nieznany polski prałat, który pojawił się pewnego dnia

przy ołtarzu kościoła św. Jacka, w 1978 roku przeobrazi się z Karola Wojtyły

w Jana Pawła II. Ten „polski papież", który celebrował z nami Mszę Świętą,

odmienił nie tylko swoje imię, ale także - świat. O powszechnym uznaniu

dla Jego wysiłku zjednoczenia świata w pokoju świadczy głęboki żal,

z jakim ponad 200 przywódców państw, królów i królowych różnych narodowości,

ras i religii żegnało Go podczas uroczystości pogrzebowych 8 kwietnia 2005 roku.

To Jego mamy na myśli, gdy wołamy razem z ludźmi na całym świecie:

„Santo subito" („Natychmiast święty!").

Nigdy żaden papież nie wpłynął tak bardzo na bieg światowych wydarzeń!

To John Paul II
the Pope who changed the world

No one would imagine that this obscure prelate of Poland, whose steps brought

him to the altar of St. Hyacinth Church, would in 1978 change his name

from Karol Wojtyła to John Paul II. This 'Polish Pope' who celebrated Mass with us

would not only change his name but would transform the Church,

and even the world so that more than 200 heads of state, kings and queens

of various nations, races and religions attended his funeral, expressing grief,

on April 8, 2005, in gratitude for his attempts to unify the world in Peace!

To him, together with the peoples of the world, we chant 'Santo subito' ('Saint Now').

Never has a pope so profoundly affected the course of events throughout the world!

Niech na progu kościoła chrześcijanin pomni,

że przekracza niby próg nieba.

Ten sam majestat Boga, który jest w niebie,

panuje także w domu Bożym.

Oto dlaczego chrześcijanin powinien tu wejść

z szacunkiem i bojaźnią.

JEDNO Z DAWNYCH NAPOMNIEŃ

Let the Christian consider well

when he enters the church

that he is entering another heaven.

That same majesty of God which is in heaven

is also in his Church,

and on this account the Christian must enter

with reverence and awe.

ONE OLD ADMONITION SAYS

Kształty sanktuarium

Formations of a Sanctuary

Nazywam architekturę zamrożoną muzyką.

JOHANN WOLFGANG VON GOETHE

I call architecture frozen music.

JOHANN WOLFGANG VON GOETHE

Żwawo pójdź za mną; ci niech szepcą dalej;

Mocny jak wieża bądź, co się nie zegnie,

Chociaż się wicher na jej szczyty wali.

DANTE ALIGHIERI

Follow me, and let the people speak:
Stay still like a tower which doesn't collapse
When a strong wind blows.

DANTE ALIGHIERI

Tysiącmilowa podróż

zaczyna się od jednego kroku.

LAO TSU

A journey of a thousand miles

must begin with a single step.

LAO TZU

Całe ziemskie i podziemne złoto

to zbyt mało, by oddać za nie cnotę.

PLATON

All the gold which is under or upon the earth

is not enough to give in exchange for virtue.

PLATO

Życie jest obietnicą: spełnij ją.

Matka Teresa

Life is a promise: fulfill it.

Mother Theresa

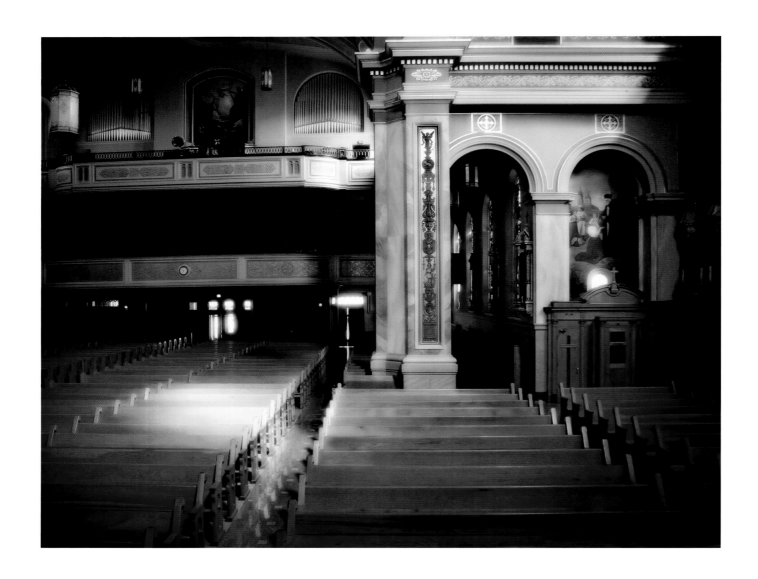

Nic, co rzeczywiste, zagrożone być nie może.

Nic, co jest nierzeczywiste, nie istnieje.

W tym zawiera się pokój Boży.

Kurs Cudów

Nothing real can be threatened.

Nothing unreal exists.

Herein lies the peace of God.

A Course in Miracles

„Grzech" - to coś, co nie jest niezbędne.

Georgij Iwanowicz Gurdzijew

A 'sin' is something which is not necessary.

George Ivanovitch Gurdjieff

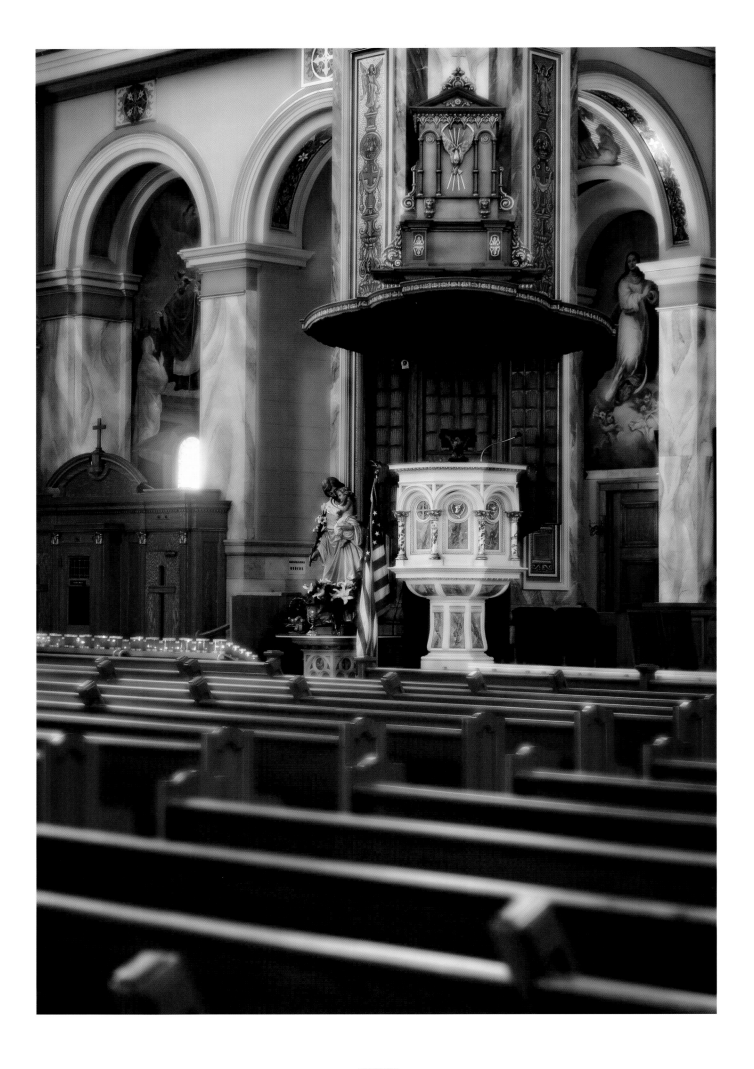

Drogą do serca jest ucho.

VOLTAIRE

The ear is the avenue to the heart.

VOLTAIRE

SANCTVS ✠ SA

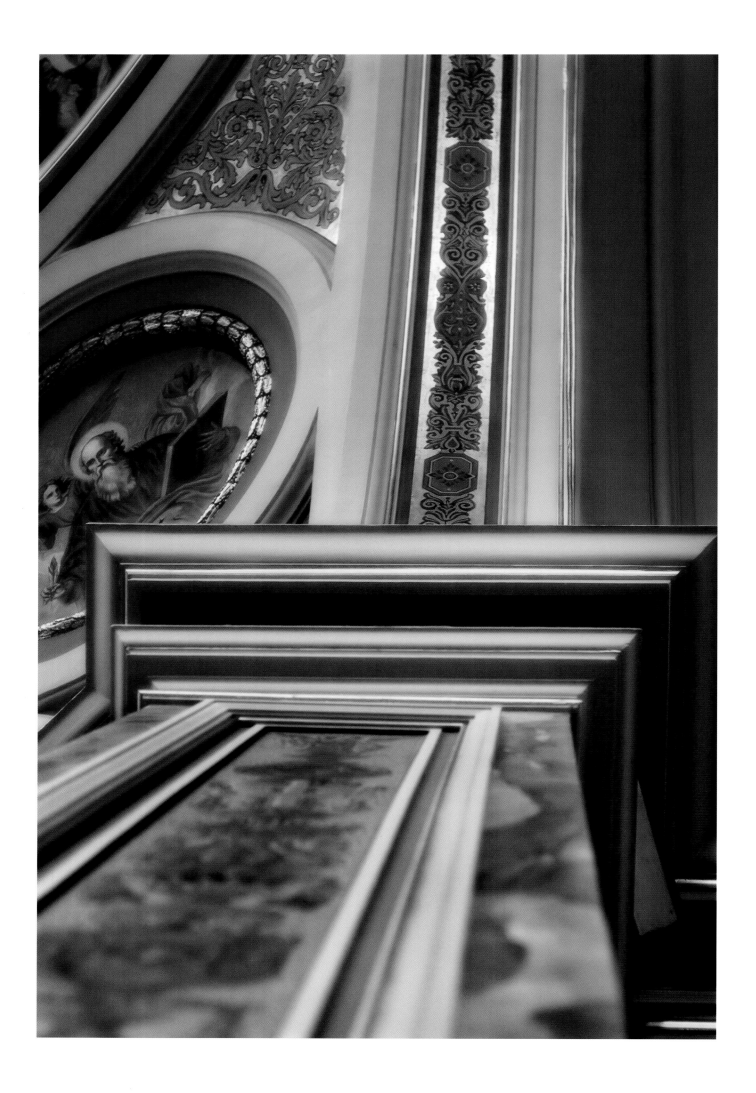

Boże, daj mi pogodę ducha, abym pogodził się z tym,

czego zmienić nie mogę;

odwagę, abym zmieniał to, co zmienić mogę,

i mądrość, abym zawsze odróżniał jedno od drugiego.

<small>REINHOLD NIEBUHR</small>

God, grant me the serenity to accept

the things I cannot change,

the courage to change the things I can,

and the wisdom to know the difference.

<small>REINHOLD NIEBUHR</small>

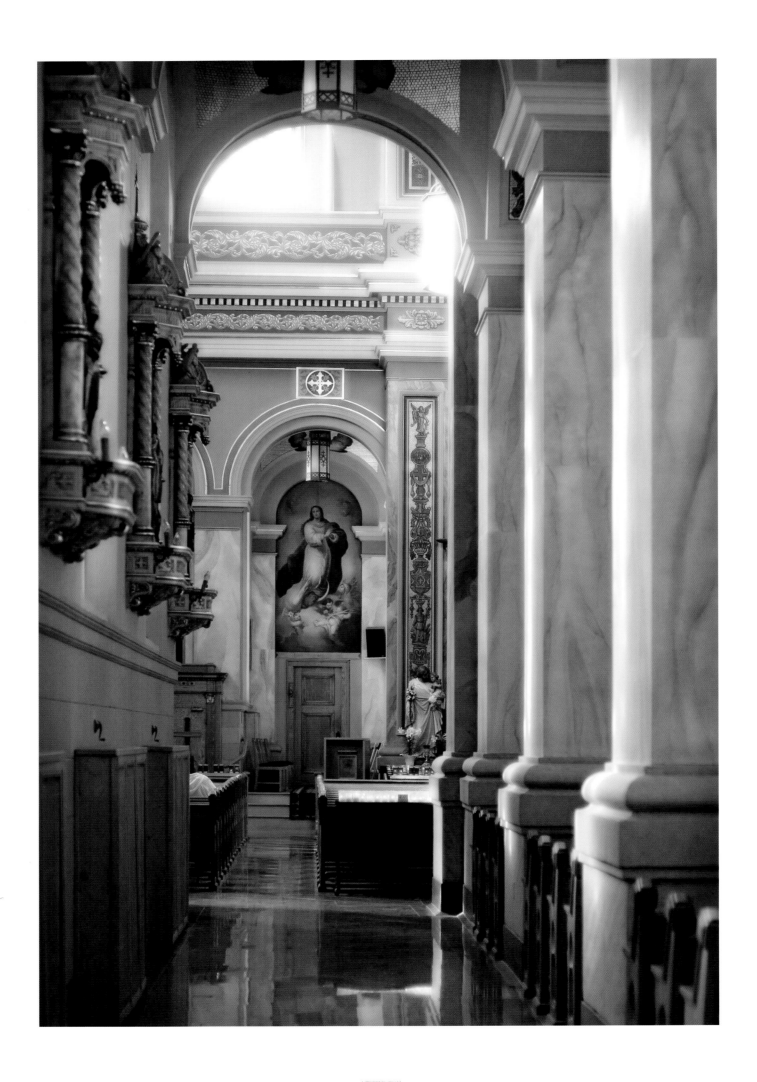

Aniołowie na straży życia

niekiedy przelatują zbyt wysoko,

by pochwyciło ich nasze spojrzenie,

lecz oni zawsze spoglądają w dół - na nas.

JEAN PAUL (JOHANN PAUL FRIEDRICH RICHTER)

The guardian angels of life

sometimes fly so high

as to be beyond our sight

but they are always looking down upon us

JEAN PAUL (JOHANN PAUL FRIEDRICH RICHTER)

Nie sądźcież rączo - wy do ziemie krańców

Przykuci, gdy my, oglądacze Boga,

Zliczyć niezdolni ćmy jego wybrańców.

Ale niewiedza bytom naszym błoga,

A dobro nasze w tym dobru ma zdroje,

że z wolą Bożą jest nam wspólna droga.

DANTE ALIGHIERI

O mortal men! Be wary how ye judge:

For we, who see the Maker, know not yet

the number of the chosen; and esteem

Such scantiness of knowledge our delight:

for all our good is, in that Primal Good,

Concentrate: and God's will and ours are one.

DANTE ALIGHIERI

Przejście ambrozjańskie

Ambrosian Passage

Zbyt ciężkie były me grzechy, nie przeczę;

Lecz Łaska Boża, przestronna ogromnie,

Garnie, kto tylko do niej się uciecze.

DANTE ALIGHIERI

My sins were dreadful,

But the infinite goodness of God

Forgives anyone asking Him.

DANTE ALIGHIERI

Miłość, co łatwo serc zacnych się chwyta,

Skuła go czarem mej ziemskiej postaci;

Wzdrygam się, pomnąc, jak była zabita.

Miłość, co zawsze miłością się płaci,

Tak mi kazała w nim podobać sobie,

że go nie zgubię już ni on mię straci.

DANTE ALIGHIERI

Love, which quickly enters
any kind heart,
made him fall in love with me
through my beauty,
which I have no more, and the fact
still hurts me.
Love, which obliges anybody loved
to return the love,
took me through his beauty
so strongly,
that it is still with me.

DANTE ALIGHIERI

Życie nasze to czyny, nie lata;

myśli, a nie oddechy;

uczucia, nie znaki na tarczy.

Winniśmy mierzyć czas biciem serca.

żyje najpełniej, kto myśli wiele,

czuje szlachetnie i dobrze czyni.

Arystoteles

We live in deeds, not years:

in thoughts, not breaths;

in feelings, not in figures on a dial.

We should count time by heart throbs.

He most lives who thinks most,

feels the noblest, acts the best.

Aristotle

…Służyć
i wielbić…

…In Serving
and Praising…

…to i w tym przypadku

Światło wam dano na obejście błędu…

DANTE ALIGHIERI

You have been given reason,

which can distinguish between bad and good.

DANTE ALIGHIERI

Powinniśmy się modlić głównie o błogosławieństwo,
Bóg sam wie najlepiej, co jest dla nas dobre.

SOCRATES

Our prayers should be for blessings in general,
for God knows best what is good for us.

SOCRATES

Niechaj rodzice zatem pozostawią dzieciom

w spadku nie bogactwa,

lecz ducha poszanowania.

Platon

Let parents, then, bequeath to their children

not a heap of riches,

but the spirit of reverence.

Plato

Dusza, pieszczona w swoim pierwobycie,

Na ziemię schodzi od Bożego stoła,

Kwiląc i śmiejąc się jak małe dziecię.

DANTE ALIGHIERI

The soul, which knows nothing yet,

except that it wants to come back to God who has created it,

exits from the hands of God like a young girl.

DANTE ALIGHIERI

Religia to działanie; człowiek nie tylko *myśli*
przez swoją religię czy *odczuwa* przez nią,
lecz „żyje" swoją religią tak, jak tylko umie,
w przeciwnym razie to nie jest religia,
lecz mrzonka lub filozofia.

GEORGIJ IWANOWICZ GURDZIJEW

Religion is doing; a man does not merely
think his religion or *feel* it,
he 'lives' his religion as much as he is able,
otherwise it is not religion but fantasy
or philosophy.

GEORGE IVANOVITCH GURDJIEFF

Przemierzyłeś świat w poszukiwaniu szczęścia,

które jest poza ludzkim zasięgiem.

Stateczny zaś umysł zapewnia je każdemu.

HORACY

You traverse the world in search of happiness,

which is within the reach of every man.

A contented mind confers it on all.

HORACE

Przyjmij każdy dzień jako zmartwychwstanie,

jako źródło nowej radości życia,

przywitaj każdy wschód słońca z poczuciem Boskiej dobroci …

WILLIAM LAW

Receive every day as a resurrection from death,

as a new enjoyment of life,

meet every rising sun with sentiments of God's goodness…

WILLIAM LAW

Nieczystość duszy ma źródło w złych sądach,

oczyszczanie polega na tworzeniu w niej sądów właściwych,

dusza czysta - to ta, w której są właściwe sądy.

Epiktet

The soul's impurity consists in bad judgments,

and purification consists in producing in it right judgments,

and the pure soul is one which has right judgments.

Epictetus

Boskie elementy

Divine Essentials

Pragnę jedności z ludźmi,

to jest rzecz najważniejsza.

Papież Jan Paweł II

I hope to have communion with the people,

that is the most important thing.

Pope John Paul II

Bóg mi powierzył mnie samego.

EPIKTET

God has entrusted me

with myself.

EPICTETUS

Gdy sam dla siebie jesteś niepojętą tajemnicą,

spójrz na Chrystusa - on daje ci sens życia.

Gdy rozważasz, co to znaczy być dojrzałym,

spójrz na Chrystusa - on jest wypełnieniem człowieczeństwa.

A gdy wątpisz, czy jesteś światu potrzebny,

spójrz na Chrystusa.

Papiez Jan Paweł II

When you wonder about the mystery of yourself,

look to Christ, who gives you the meaning of life.

When you wonder what it means to be a mature person,

look to Christ, who is the fulfillment of humanity.

And when you wonder about your role in the future of the world

look to Christ.

Pope John Paul II

Nie ma dotkliwszej boleści

Niźli dni szczęścia wspominać w niedoli.

DANTE ALIGHIERI

There is no greater sorrow
than to be mindful of the happy time in misery.

DANTE ALIGHIERI

Kir

Veiled in Black

8 kwietnia Bazylikę wypełnili po brzegi ci, którzy niezmiennie
trwali przy Papieżu, a teraz przybyli, by się z nim rozstać.
Przez całą minioną noc wymykali się objęciom Morfeusza,
chłonąc transmisje z pogrzebu Jana Pawła II.
W śmiertelnej ciszy, którą co chwilę przerywał tłumiony szloch,
potęgowały się emocje obecne na wszystkich twarzach.
Daremny żal. Ostatnie pożegnania. Powszechna rozpacz,
która ogarnęła tłum, zwiastowała koniec ery.
Podróż na drugą stronę ołtarza. Dawanie świadectwa
historycznym scenom, które nie są na pokaz.
Ochronne odosobnienie zakrystii przynosiło duchownym ulgę.
Pomagało im odnaleźć wewnętrzną siłę i odwagę, by mogli stanąć
przed tłumem i z każdą zrozpaczoną duszą podzielić się - bólem.

On April 8th, the Pope's faithful filled the Basilica to the rim
saying their own farewell. The open arms of Morpheus omitted
them the night before, while they absorbed the scenes from
John Paul II's funeral being broadcasted live.
Deadly quiet, every so often disturbed by soft sobbing, created
a backdrop for emotions seen on each face present.
Empty sadness. Last goodbyes. Overall desperation steeling
through the crowd marked the end of an era.
Travel behind the Altar to witness historic scenes protected
from the intrusion of the public view.
The guarded privacy of the sacristy offered the solace
the clergymen needed to find their own strenght and courage
to face the crowd and share the pain of every grieving soul.

...za wiatru podmuchem

Dzwon, który, zda się, płacze dnia, co kona.

DANTE ALIGHIERI

...the vesper bell from far

that seems to mourn for the expiring day.

DANTE ALIGHIERI

Świat łamie każdego,
a później wielu twardnieje
w złamanych miejscach.

ERNEST HEMINGWAY

The world breaks everyone
and afterward many are stronger
at the broken places.

ERNEST HEMINGWAY

Idź śmiało i mów o nim, bo sprawił, że zwątpiłeś,

Bo wzgardził rzeczami, bez których nie umiesz żyć.

Wyśmiewaj go za plecami tak, jak robią to inni,

Pokaż mu, gdzie jego miejsce, kiedy przypadkiem podejdzie.

Przerwij rozmowę, gdy minie cię na ulicy

Miej nadzieję, że sam upadnie, ach, czy to nie byłoby urocze?

Bo jego już nie można użyć w schemacie.

Bo jego nie przekupią i nie kupią rzeczy, które czcisz.

BOB DYLAN

Go ahead and talk about him because he makes you doubt,

Because he has denied himself the things that you can't live without.

Laugh at him behind his back just like the others do,

Remind him of what he used to be when he comes walking through.

Stop your conversation when he passes on the street,

Hope he falls upon himself, oh, won't that be sweet

Because he can't be exploited by superstition anymore

Because he can't be bribed or bought by the things that you adore.

BOB DYLAN

Substancja pierwotna

Elementary Substance

Nie miał On wdzięku ani też blasku, aby na Niego popatrzeć,

ani wyglądu, by się nam podobał.

Wzgardzony i odepchnięty przez ludzi,

Mąż boleści, oswojony z cierpieniem,

jak ktoś, przed kim się twarze zakrywa,

wzgardzony tak, iż mieliśmy Go za nic.

Lecz On się obarczył naszym cierpieniem,

On dźwigał nasze boleści,

a myśmy Go za skazańca uznali,

chłostanego przez Boga i zdeptanego.

Lecz On był przebity za nasze grzechy,

zdruzgotany za nasze winy.

Spadła Nań chłosta zbawienna dla nas,

a w Jego ranach jest nasze zdrowie.

Izajasz

He had no beauty or majesty to attract us to him,
nothing in his appearance that we should desire him.

He was despised and rejected by men,
a man of sorrows, and familiar with suffering.
Like one from whom men hide their faces
he was despised, and we esteemed him not.

Surely he took up our infirmities
and carried our sorrows,
yet we considered him stricken by God,
smitten by him, and afflicted.

But he was pierced for our transgressions,
he was crushed for our iniquities;
the punishment that brought us peace was upon him....

Isaiah 53:2-3

Winny jest ten, kto dokonuje wyboru. Bóg jest bez winy.

PLATON

The blame is his who chooses: God is blameless.

PLATO

za mnie…

for me…

za ciebie…

for you…

za nas...

for us...

wierzysz?

believe?

Kronika Chronicle

Milenium w parafii św. Jacka

The Millennium at St. Hyacinth Parish

1894

utworzenie przez około 40 polskich rodzin osiadłych
w okolicy Avondale parafii pod wezwaniem św. Jacka

about 40 Polish families settled in the Avondale area to create
a parish under the protection of St. Hyacinth

1917

rozpoczęcie prac nad budową obecnego kościoła

construction of the present church began

1921, 7 sierpnia, August 7th

odprawienie pierwszej Mszy św. we wzniesionym kościele

the first Mass was celebrated in this church building.

1998, grudzień, December

ukoronowanie wizerunku Matki Boskiej Częstochowskiej

gold-leafing of Our Lady of Częstochowa icon.

1999, 10 stycznia, January 10th

ogłoszenie o częściowym przemalowaniu wnętrz kościoła (sanktuarium)

partial (sanctuary only) painting of church-interior is announced.

1999, 7 marca, March 7th

deklaracja zamiaru pomalowania i odświeżenia wnętrz kościelnych
(minimalny koszt renowacji wnętrza kościoła oszacowano
na 500 000 USD)

pledges solicited for the painting and refurbishing
of the church-interior (a minimal estimated cost of $500,000
for the repainting and refurbishing of the church-interior)

1999, 21 KWIETNIA, APRIL 21ST

zlecenie renowacji wnętrza kościoła firmie
Conrad Schmitt Studioes, Inc.

Conrad Schmitt Studioes, Inc. are commissioned
for the repainting and refurbishing of the church-interior.

1999, 25 KWIETNIA, APRIL 25TH

oczyszczenie brązowych elementów wystroju
(płaskorzeźba „Zmartwychwstanie" w Hallu Zmartwychwstania
i figura „Najświętsze Serce" w ogrodzie klasztornym);
odnowienie pomnika w Ogrodzie Pamięci

cleanising of bronze statues (Resurrection relief
at Resurrection Hall and the Sacred Heart statue at the convent garden);
reneval of the monument in the Memorial Garden

2000, 9 STYCZNIA, JANUARY 9TH

odprawienie porannej Mszy św. (o godz. 10:45) i poświęcenie
oddanych na pewien czas do naprawy dzwonów przez kardynała
Francisa George'a (podczas tej uroczystości poświęcono
także tablicę milenijną na froncie kościoła)

Cardinal George, OMI celebrates the 10:45 a. m. Mass
and blesses the bells (muted for some time and in repair);
the Millennium plaque in the front of the church
is blessed at this service

2000, 8 PAŹDZIERNIKA, OCTOBER 8TH

odprawienie południowej Mszy św. (o godz. 12:30)
i poświęcenie odnowionego wnętrza kościoła
przez kardynała Józefa Glempa, prymasa Polski

Cardinal Glemp, primate of Poland celebrates the 12:30 p. m.
Mass and blesses the repainted and refurbished church.

2001

prezentacja albumu wydanego z okazji finału prac remontowych
w kościele - renowacja, zakończona w 2000 roku,
odsłoniła przejmujące piękno wnętrza świątyni
(książka została zredagowana przez ks. Francisa Roga,
przekład polski, zdjęcia i opracowanie graficzne - ks. Jerzy Matuszak)

a pictorial book presented on the occasion of the repainting
and refurbishing of the church and the completion of this reneval
in the year 2000 perfectly capture the profound beauty of the church
interior; the book was edited by Rev. Francis Rog, C. R., translated
in Polish with design and photos by Rev. Jerzy Matuszak, C. R.

2003, 30 STYCZNIA, JANUARY 30TH

zatwierdzenie przez kardynała Francisa George'a petycji
do Ojca Świętego o nadanie kościołowi św. Jacka tytułu
bazyliki mniejszej (basilica minor)

Cardinal George, OMI approves the request to petition
the Holy Father to name St. Hyacinth Church as a Minor Basilica.

2003, 21 CZERWCA, JUNE 21ST

nadanie kościołowi św. Jacka honorowego tytułu
bazyliki mniejszej (basilica minor)

the honorific title of Minor Basilica granted to St. Hyacinth Church

2003, CZERWIEC, JULY

wymiana azbestowych płytek podłogowych na granitowe;
rozpoczęcie renowacji kościelnych ławek; wybudowanie od strony
dziedzińca szkolnego podjazdu dla niepełnosprawnych

the asbestos tile floor of the church is replaced with granite tiles;
the beginning of refurbishing the church pews begins;
a ramp for the handicapped is built to the schoolyard side of the church

2003, 30 LISTOPADA, NOVEMBER 30TH

oficjalne ogłoszenie tytułu: Bazylika Mniejsza p. w. św. Jacka

formal Proclamation of the title: St. Hyacinth Minor Basilica.

Klara i Robert Świderscy są zafascynowani sztuką fotografowania. Za sprawą niniejszego projektu wtargnęli na terytorium nieznane, w nadziei, że spełni się ich pragnienie - uchwycenie prawdziwego ducha Wiary. Ten, kto uważnie patrzy, nie otrzyma ostatecznego rozwiązania - spełnienie płynie z podróży przez wizualne przedsionki ciszy i duchowego spokoju.

Klara and Robert Swiderski have an acute interest in Fine Art Photography. In this project, tapping into uncharted territory, they hoped to fulfill their desire in capturing the true spirit of Faith. In consequence, the viewer is the one passing the final judgment and receiving fulfillment from this journey through visual corridors of tranquility and spiritual peace.

Spis treści Contents

Ex libris

Galeria Polskiej Książki Sp. z o.o.

WYDAWCA PUBLISHER
Andrzej Frukacz

Ex Libris Galeria Polskiej Książki Sp. z o. o.
ul. Dęblińska 13, 04-187 Warszawa
TEL. PH. (+48 22) 610 85 95, FAKS FAX (+48 22) 612 02 86
E-MAIL: exlibris@exlibris-pl.com
www.exlibris-pl.com

ZDJĘCIA, KONCEPCJA ALBUMU, WYBÓR CYTATÓW I TEKST NA STR. 97 PHOTOGRAPHY, BOOK CONCEPT,
QUOTATION SELECTION AND INTRODUCTION TO "VEILED IN BLACK":
Klara i Robert Świderscy Klara Swiderski, Robert Swiderski

TEKSTY („WPROWADZENIE", „DEDYKACJA" I „KRONIKA") TEXTS ("INTRODUCTION", "DEDICATION" AND "CHRONICLE"):
za zgodą ks. Michała Osucha as approved by rev. Michał Osuch

PROJEKT OKŁADKI I OPRACOWANIE GRAFICZNE COVER AND GRAPHIC DESIGN:
Kasia Trzeszczkowska

REDAKCJA EDITOR:
Agnieszka Rembiałkowska

W wersji polskiej wykorzystano fragmenty Biblii w przekładzie o. Józefa Paściaka;
fragmenty „Boskiej komedii" - w polskim przekładzie Edwarda Porębowicza i w angielskim przekładzie
wg edycji Charlesa Williama Eliota (The Harvard Classics, vol. XX).
The Polish quotes from the Holy Bible - in rev. Jozef Paściak's translation;
quotes from the Divine Comedy: Polish - from Edward Porębowicz's translation,
English - from Charles William Eliot's edition (The Harvard Classics, vol. XX).

© FOR PHOTOS BY KLARA SWIDERSKI, ROBERT SWIDERSKI, 2005
© FOR THIS EDITION BY EX LIBRIS GALERIA POLSKIEJ KSIĄŻKI SP. Z O. O., 2005

ISBN: 1-928900-70-4
WYDANIE I EDITION I
WARSZAWA-CHICAGO 2006

PRZYGOTOWANIE DO DRUKU PREPARED FOR PRINTING
JML s. c.
ul. Syta 126, 02-987 Warszawa

DRUK I OPRAWA PRINTING AND BINDING
Druk-Intro SA
ul. Świętokrzyska 32, 88-100 Inowrocław